C. ω1

Les licornes
ne tirent pas
de traîneaux

Voici d'autres livres sur les
Mystères de Ville-Cartier!

Les avez-vous lus?

Dracula ne boit pas de limonade

La fiancée de Frankenstein ne fait pas de biscuits

Frankenstein ne joue pas au hockey

Les géants ne font pas de planche à neige

Cupidon ne prépare pas de hamburgers

Les trolls n'aiment pas les montagnes russes

Les licornes ne tirent pas de traîneaux

**Debbie Dadey
et Marcia Thornton Jones**

Illustrations de John Steven Gurney

Texte français de Jocelyne Henri

Les éditions Scholastic

Données de catalogage avant publication
de la Bibliothèque nationale du Canada

Dadey, Debbie
  Les licornes ne tirent pas de traîneaux

(Les mystères de Ville-Cartier)
Traduction de: Unicorns don't give sleigh rides.
Pour les jeunes.
ISBN 0-7791-1536-8

I. Jones, Marcia Thornton II. Henri, Jocelyne III. Titre.
IV. Collection: Dadey, Debbie. Mystères de Ville-Cartier.

PZ23.D2127Un 2001   j813'.54   C2001-902262-X

Édition publiée par Les éditions Scholastic, 175 Hillmount Road,
Markham (Ontario) L6C 1Z7.

5 4 3 2 1   Imprimé au Canada   01 02 03 04

À Krystal, Pistol Pete, Jessie, Muffles, Bailey, Cleo
et tous les animaux esseulés des refuges,
de même qu'aux personnes qui se dévouent
pour leur trouver une maison!

— DD et MTJ

Table des matières

1. Toute la vérité 1

2. En traîneau 7

3. L'hiver au pays des merveilles . .14

4. Damoiselle en détresse 20

5. Magie 26

6. Une mission 31

7. Insensé .38

8. Le piège 42

9. Un meilleur plan 48

10. Rien que du crottin 52

11. Un cadeau de Noël particulier . .57

12. La magie de Noël 61

13. La magie de la licorne 65

1

Toute la vérité

— Es-tu certaine que tu vas y arriver? demande Mélodie à son amie Lisa.

Lisa repousse sa frange et fait un signe de tête affirmatif.

— J'ai juste un peu mal.

Lisa, Mélodie et leurs deux amis, Laurent et Paulo, se rendent aux Écuries de Ville-Cartier. Ils marchent lentement parce que Lisa avance en boitant.

En temps normal, les quatre amis seraient en classe, mais l'école est fermée à cause de la tempête de neige de la veille. Même s'il fait trop froid pour sa leçon d'équitation, Lisa doit tout de même prendre soin de Pénélope, son poney. Mélodie, Laurent et Paulo ont promis de l'aider à faire sa corvée avant de jouer dans la neige.

Paulo enfonce sa casquette de baseball sur ses

cheveux roux frisés.

— Si tu n'étais pas si gauche, tu n'aurais pas fait une chute, dit-il.

— Lisa n'est pas gauche, réplique Mélodie. Elle a probablement glissé sur la neige.

— Qu'est-il arrivé au juste à ta cheville? demande Laurent.

Lisa prend une profonde respiration.

— C'était vraiment étrange, commence-t-elle.

— Ça n'a rien d'étrange, l'interrompt Paulo, en ricanant. Tu n'es pas précisément la meilleure athlète de la terre.

Mélodie donne un coup de poing sur le bras de Paulo.

— Sois aimable, le prévient-elle.

— Tomber n'avait rien d'étrange, continue Lisa, après avoir fusillé Paulo du regard. C'est ce qui s'est passé après ma chute.

— Raconte, dit Laurent à Lisa. Dis-nous ce qui est arrivé.

— J'étais en train de brosser Pénélope, le poney dont je m'occupe depuis que j'ai commencé mes leçons d'équitation. J'y mettais plus de temps que d'habitude parce que je voulais que sa robe soit lustrée pour les promenades en traîneau du mail. Quand mon travail a été terminé, il ne restait plus que M. Caron, le propriétaire des Écuries de Ville-Cartier. Je suis sortie par la porte de côté et j'ai glissé sur la glace.

— Tu as dû te faire très mal, dit Mélodie.

— Je me suis fait tellement mal que je ne pouvais plus marcher, explique Lisa. M. Caron ne savait pas que j'étais là, et j'avais froid. Je pensais que j'allais me transformer en glaçon géant!

— Ça ne serait pas si mal, dit Paulo, en riant. Au moins les glaçons ne sont pas obligés d'aller à l'école!

— Comment as-tu fait pour retourner à l'écurie? demande Laurent, en ignorant Paulo.

— Je m'apprêtais à crier à l'aide quand je les ai entendus… des grelots qui se rapprochaient de plus en plus, dit Lisa. Un traîneau, tiré par un cheval blanc perle, s'approchait à travers la neige tourbillonnante. Le cheval s'est arrêté à côté de moi. Je suis montée de peine et de misère dans le traîneau vide, et le cheval s'est dirigé vers l'écurie comme s'il savait exactement ce qu'il devait faire.

— Il en avait assez de la neige, lui aussi, dit Mélodie.

— Tu as été chanceuse, dit Laurent. Mais ce n'est pas si étrange. On dit que les chevaux reviennent toujours à l'écurie.

— Ce n'était pas de la chance, proteste Lisa, en secouant la tête.

— C'était quoi, alors? demande Laurent.

Lisa s'arrête brusquement.

— Me promettez-vous de ne pas rire si je vous dis la vérité? Toute la vérité?

Mélodie et Laurent font signe que oui.

— Nous promettons de ne pas rire, disent-ils en chœur.

— Je ne fais jamais de promesse que je ne peux pas tenir, dit Paulo, en haussant les épaules.

— Depuis quand? lui demande Laurent.

Mélodie regarde Lisa, en ignorant Laurent et Paulo.

— Vas-y, dit-elle, raconte.

Lisa regarde tour à tour ses amis dans les yeux.

— Ce n'était pas un cheval normal, leur dit-elle. Il avait une corne au milieu du front. Et vous savez ce que ça signifie.

— C'est facile, dit Paulo, en s'étranglant de rire.
Ça signifie que tu es folle. Mais ça, nous le savions
déjà.

Lisa met les mains sur ses hanches.

— Ça signifie que ce cheval n'était pas vraiment
un cheval. C'était une licorne!

2

En traîneau

— Et moi, je suis Pinocchio et je joue avec des allumettes, dit Paulo, en riant de plus belle.

— Je ne plaisante pas, dit Lisa, en rougissant. C'était vraiment une licorne.

— Moi non plus je ne plaisante pas, dit Paulo. Si tu penses avoir vu une licorne hier, c'est que tu as de la neige entre les oreilles.

— Il faisait sombre, dit Mélodie, en tapotant le bras de Lisa. Tu as probablement cru voir une licorne.

— Je connais les chevaux mieux que vous, réplique Lisa. Même si ma cheville me faisait mal, je peux encore faire la différence entre un cheval et une licorne.

— C'est facile à faire, dit Laurent, parce que les licornes n'existent pas. Ce sont des créatures imaginaires.

— Alors pourquoi y a-t-il tant de livres sur les licornes à la bibliothèque? demande Lisa.

— Il y a des livres sur les lutins aussi, répond Paulo, et on n'en voit pas à tous les coins de rues.

— Est-ce que je vous ai jamais menti? demande Lisa à ses amis.

— Non, admet Mélodie.

Lisa ne ment jamais, même pas un petit mensonge de rien du tout.

— Nous ne disons pas que tu mens, dit Laurent. Nous disons que tu as fait une erreur.

— Tout le monde fait des erreurs, dit Paulo. Même moi.

— Tu en fais des tas, dit Lisa à Paulo. Mais je n'ai pas fait une erreur.

Lisa est prête à discuter encore longtemps, mais Laurent l'interrompt.

— Regardez! dit-il, en pointant du doigt devant eux.

Deux chevaux noirs à la robe soyeuse descendent le chemin en tirant un grand traîneau vert décoré de motifs dorés.

— Le roi Midas aurait adoré ce traîneau, dit Laurent.

— Oublie le roi Midas, lui dit Mélodie. J'adore aller en traîneau. Je veux faire une promenade!

— Il faut payer, lui dit Lisa. C'est un des traîneaux que M. Caron utilise pour faire des promenades au mail. Il veut amasser de l'argent pour les écuries. Le reste ira à une œuvre de charité.

— Je suis une œuvre de charité, lui dit Paulo, en tendant la main. S'il vous plaît, faites un don au fonds PET.

— Qu'est-ce que c'est, le fonds PET? demande Laurent.

— C'est le fonds Paulo en traîneau, répond Paulo, en souriant.

Mélodie s'empare de la casquette de Paulo et s'en sert pour le frapper. Au même moment, le traîneau s'arrête juste à côté d'eux. Le petit homme aux cheveux blancs qui conduit le traîneau leur fait un grand sourire. Il porte une casquette d'autrefois avec des rabats sur les oreilles, et son nez est rouge de froid.

— Bonjour Monsieur Caron, dit poliment Lisa.

Voici mes amis. Ils sont venus m'aider.

— C'est toujours agréable d'avoir un coup de main, dit M. Caron. Montez! Je vais vous conduire aux écuries.

— Youpi! crie Paulo quand le traîneau repart sur la neige chatoyante.

— C'est magique! s'exclame Lisa, les yeux pétillants.

— Et réel, enchaîne Paulo. Pas comme ta stupide licorne inventée.

Tout à coup, le traîneau s'arrête et M. Caron se tourne vers Paulo.

— As-tu dit licorne? demande-t-il d'une voix grave.

Quelque chose dans le regard de l'homme incite Paulo à mentir.

— Euh, n-non, bégaie Paulo. J'ai dit *pop-corn*. J'aime bien le pop-corn.

M. Caron regarde fixement les enfants, puis se retourne et se remet en route. Les quatre amis restent silencieux jusqu'à ce que M. Caron s'arrête devant l'écurie.

— Merci pour la promenade, dit Mélodie, avant

de sauter en bas du traîneau avec ses amis.

M. Caron hoche la tête et commande à ses chevaux d'avancer. Quand Lisa approche de la porte de l'écurie, elle s'arrête brusquement.

— Ça alors! s'écrie-t-elle.

— Ta cheville te fait encore souffrir? demande Mélodie.

Lisa fait signe que non. Sans un mot, elle pointe du doigt le côté de l'écurie. Mélodie, Laurent et Paulo regardent. Ce qu'ils voient leur coupe le souffle.

3

L'hiver au pays
des merveilles

— C'est magnifique! murmure Mélodie.

— On dirait l'hiver au pays des merveilles, dit
Laurent. Je n'ai jamais vu de toute ma vie autant
de poinsettias au même endroit.

Les quatre amis longent la rangée de plantes aux
grosses feuilles rouges qui fait toute la longueur du
bâtiment.

— Si vous voulez mon avis, dit Paulo, on dirait
qu'un fleuriste est devenu fou furieux et qu'il a jeté
des fleurs partout. C'est ça ou un camion de fleurs
a fait une sortie de route.

— Je ne vois pas de camion dans le fossé, dit
Mélodie.

Elle ne voit que de la neige, encore de la neige,
et des tas de feuilles rouges.

— Je parie que M. Caron a décidé de décorer
l'écurie pour Noël, ajoute-t-elle.

15

— M. Caron n'a pas le temps de décorer, lui fait remarquer Lisa.

— Il est trop occupé par les promenades en traîneaux, ajoute Laurent.

— Je pense qu'il est trop bizarre pour mettre des décorations, dit Paulo. J'ai cru qu'il allait me pousser en bas du traîneau quand j'ai dit *licorne*.

— On aurait presque dit qu'il avait quelque chose à cacher, admet Laurent.

— En tout cas, il n'a pas caché ces plantes, dit Mélodie. Elles sont magnifiques.

— Mais pourquoi M. Caron les met-il sur le côté de l'écurie? demande Laurent. La plupart des gens mettent leurs décorations sur la façade des bâtiments.

— M. Caron ne les a pas mises là, dit tranquillement Lisa. Elles poussent ici, juste à l'endroit où je suis tombée.

Laurent resserre son blouson autour de son corps.

— Ne sois pas idiote, dit-il. On gèle. Les fleurs ne poussent pas à cette température. Surtout les poinsettias. Elles ont besoin de beaucoup de chaleur.

Lisa s'agenouille devant une plante à feuilles rouges.

— Personne ne les a plantées, dit-elle.

— Alors comment ont-elles poussé? demande Mélodie. Elles ne sont pas arrivées là toutes seules.

— Oui, justement, dit Lisa, en se relevant prudemment. Je connais une légende sur les licornes.

— Oh, pitié! dit Paulo, en roulant des yeux. Pas encore tes chimères.

— Ce ne sont pas des chimères, dit Lisa. D'après la légende, partout où marche une licorne, des fleurs magiques apparaissent.

Mélodie touche une feuille rouge.

— C'est vrai qu'elles ont l'air magiques, dit-elle.

— Ces fleurs sont belles, mais je suis certain que quelqu'un les a mises là, dit Laurent. Quelqu'un qui voulait nous mettre dans l'ambiance des Fêtes.

— Ce quelqu'un était une licorne, dit Lisa.

Paulo se tort tellement de rire qu'il tombe dans la neige.

— La licorne n'a planté que des idées idiotes dans ta tête, réussit-il à dire, étouffé.

— Ne ris pas de Lisa, dit Mélodie. Tu vas la froisser.

Paulo ramasse une poignée de neige et la lance dans les airs.

— Je ne la froisserai pas si elle arrête ses idioties.

— Paulo a raison, dit Laurent, en essayant de ne pas rire. Tu voyais des choses, c'est tout.

— Je sais ce que j'ai vu, dit Lisa. Et c'est une corne. Une vraie corne de licorne!

4

Damoiselle en détresse

Mélodie tapote le dos de Lisa.

— C'est ce que tu crois avoir vu, dit-elle. Mais avec la neige qui tourbillonnait et ta cheville qui te faisait tellement mal, tu l'as probablement imaginée.

— Et puis, dit Laurent, pourquoi une licorne viendrait aux Écuries de Ville-Cartier dans le seul but de te faire faire une promenade en traîneau?

— C'est facile, dit Lisa. J'étais une damoiselle en détresse.

— UNE QUOI! crie Paulo, avant d'être pris d'une nouvelle crise de fou rire.

Même Mélodie et Laurent rient de bon cœur. Lisa essaie de les ignorer, mais son visage devient écarlate.

— Tout le monde sait que la corne de la licorne est magique, dit-elle, d'un ton brusque. Les licornes

se servent de leur corne pour aider les démunis. Surtout les damoiselles en détresse!

— C'est la chose la plus idiote que j'aie jamais entendue, dit Paulo, en riant de plus belle.

Mélodie et Laurent se rangent à l'avis de Paulo.

— Tu dois admettre, dit Laurent en gloussant, que tu ne colles pas à la description d'une damoiselle en détresse.

— Mais ma cheville était blessée, lâche Lisa. J'avais besoin d'aide. C'est pour ça que la licorne est venue ici.

Paulo saisit une poignée de neige et se relève d'un bond.

— Je crois qu'il faut rentrer un peu de bon sens dans la tête de Lisa. Je sais exactement comment il faut s'y prendre.

Paulo lance sa boule de neige. Lisa se penche juste à temps, et la boule passe à toute vitesse au-dessus de sa tête.

— Je te préviens, dit Lisa à Paulo. Arrête ça.

Paulo rit encore plus fort.

— Tu es tellement poule mouillée que tu serais incapable d'enlever une carotte à un lapin, plaisante-t-il. Alors, tu ne peux rien pour m'arrêter de te bombarder de boules de neige.

— D'abord, jamais je n'enlèverais une carotte à un joli lapin, dit Lisa. Mais toi, tu n'as rien de joli. Je veux que tu cesses de rire de moi.

— Et moi, je veux que tu arrêtes de raconter des contes de fées, dit Paulo, avant de lancer une autre boule de neige.

Cette fois, Lisa n'est pas assez rapide. La boule de neige l'atteint à l'épaule.

— Tu fais mieux d'arrêter immédiatement, le prévient Lisa, en se penchant pour ramasser de la neige.

Elle façonne sa boule et la lance de toutes ses forces. Ses amis n'en croient pas leurs yeux. Surtout Paulo, parce que la boule de Lisa le frappe durement, en plein centre de l'estomac. Paulo pousse un grognement et tombe à la renverse dans la neige. Il s'assoit pour essayer de reprendre son souffle. Laurent et Mélodie applaudissent.

— Hourra pour Lisa! crie Mélodie.

— Qui t'a montré à lancer une boule de neige comme ça? demande Laurent.

Lisa frotte ses mitaines ensemble pour enlever la neige et hausse les épaules.

— Je t'avais prévenu, dit-elle. Hier soir, j'étais une damoiselle en détresse, mais aujourd'hui, tu fais mieux de faire attention parce que je ne suis plus une poule mouillée! Grâce à la licorne de Ville-Cartier.

Lisa fait demi-tour et entre en boitant dans l'écurie. Mélodie et Laurent regardent Paulo et éclatent de rire.

— J'ai l'impression que tu vas cesser d'être sur le dos de Lisa, dit Laurent, en souriant.

Paulo se relève et essuie le fond de son pantalon.

— C'était juste un coup de chance, dit-il.

— Oui, une chance pour toi que tu ne te sois pas retrouvé au pôle Nord, dit Mélodie, en riant encore plus fort.

— Ce n'est pas si drôle que ça, dit Paulo, d'un ton brusque, en rougissant à vue d'œil.

Laurent et Mélodie suivent Lisa, mais quand ils ouvrent la porte de l'écurie, Paulo ne les suit pas.

— Tu ne viens pas? demande Mélodie.

— Si Lisa est si forte, elle n'a pas besoin de mon aide, dit Paulo, en haussant les épaules.

Puis il tourne le coin de l'écurie et disparaît.

5

Magie

La neige recommence à tomber, et Paulo marmonne entre ses dents. Il déteste faire rire de lui, surtout par Lisa. Il essaie de trouver un moyen de se venger. C'est pour cette raison qu'il ne remarque d'abord rien.

Derrière l'écurie, il voit un énorme cheval blanc. Le cheval regarde Paulo fixement, puis se détourne et entre dans un bosquet. À chacun de ses pas, Paulo entend un faible tintement de grelots.

Paulo suit le cheval blanc, en clignant des yeux dans la neige tourbillonnante. De temps en temps, le cheval tourne la tête comme s'il voulait s'assurer que Paulo le suit encore.

Le cheval guide ainsi Paulo à l'extrémité d'un champ. Puis il disparaît derrière une vieille grange. Paulo se fraie un chemin péniblement dans la neige jusqu'à la grange. Sur le côté du bâtiment, il y a une charrette brisée et une charrue rouillée.

Paulo scrute les environs, mais il ne voit le cheval nulle part. Il s'apprête à retourner à l'écurie quand il entend un bruit. Il pense d'abord qu'il s'agit du vent qui souffle dans les arbres dénudés. Puis il réalise qu'il entend une faible plainte qui vient de l'intérieur de la grange.

Paulo ouvre la porte et cligne des yeux pour s'habituer à l'obscurité. C'est alors qu'il voit un chaton gris et blanc, tout tremblant, blotti dans un coin.

Quand Paulo le prend dans ses bras, le chaton essaie de se glisser dans son blouson.

— Tu ne devrais pas rester au froid, lui dit Paulo. Je vais t'amener à la chaleur.

Paulo referme la porte de la grange et retourne à l'écurie aussi vite qu'il le peut. Dès que Mélodie, Lisa et Laurent l'aperçoivent, ils savent que quelque chose ne va pas.

Paulo se penche en avant et laisse tomber le chaton sur un tas de foin.

— Regardez ce que j'ai trouvé dans la vieille grange, dit-il.

Lisa prend délicatement le chaton et le colle

contre sa joue.

— C'est bizarre, dit-elle. Personne n'utilise cette vieille grange. Qu'est-ce que tu faisais là?

— Je suivais un gros cheval blanc, répond Paulo en souriant. Si ce n'avait été du cheval, je n'aurais pas trouvé ce petit tas de poil, dit-il en montrant le chaton. Tu devrais faire un tour avec ce cheval plutôt qu'avec ton canasson.

Lisa serre le chaton contre elle.

— Personne ne peut faire un tour de magie, dit-elle, d'une voix basse.

— Hé! Magie, c'est un excellent nom pour un cheval, dit Paulo.

— Magie n'est pas son nom, dit Lisa. C'est ce qu'il est. Et ce chaton en est la preuve! Ce cheval est une licorne qui t'a mené directement à ce chaton!

Paulo la regarde fixement, puis éclate de rire.

— Je n'ai pas pu voir le cheval de près, mais je sais que ce n'était absolument pas une licorne, dit Paulo, en tirant la queue du chaton.

Le chaton se tourne et griffe Paulo sur la main. Mélodie et Laurent pouffent de rire. Paulo retire brusquement sa main et l'examine pour voir s'il y a du sang.

— Ce chaton est tout à fait normal, dit Laurent.

— Tout comme ce cheval était un cheval ordinaire, continue Paulo. Il portait même un des grelots de M. Caron.

— Paulo doit avoir raison, dit Mélodie. Après tout, il n'y a pas de licornes à Ville-Cartier.

— Et elles ne tirent certainement pas de traîneaux, ajoute Laurent.

— Le cheval que j'ai vu était juste un cheval, affirme Paulo. Et j'ai un plan pour le prouver!

6

Une mission

— Ma mère dit que je pourrai garder le chaton si personne ne le réclame, dit Lisa à ses amis, le samedi.

M. Caron a attelé Pénélope à un immense traîneau, et Lisa emmène ses amis en promenade.

— Je vais appeler mon chaton *Grelot*, leur dit Lisa.

— *Cloche* serait un nom plus juste, la taquine Paulo.

Lisa s'apprête à faire une grimace à Paulo, mais Mélodie l'arrête.

— En parlant de cloches, dit Mélodie, vous avez entendu?

Les amis tendent l'oreille. De derrière un

bosquet, loin devant eux, leur parvient le tintement faible de grelots.

— C'est la licorne! hurle Lisa, en agitant les rênes pour faire trotter Pénélope.

Lisa dirige le poney jusqu'à une vieille grange. C'est la grange où Paulo a trouvé le chaton.

— L'endroit a l'air abandonné, dit Mélodie. On ferait mieux de revenir sur le chemin des écuries.

Lisa montre du doigt une rangée de nouvelles fleurs rouges sur le côté de la grange.

— On dirait que c'est un sentier, dit-elle.

Sans un mot, elle saute du traîneau et se dirige vers les fleurs rouges.

— Est-ce qu'on peut retourner à l'écurie? demande Paulo. Au cas où tu n'aurais pas remarqué, on gèle ici.

— Juste une minute, lui dit Lisa. Je crois que ces fleurs nous mènent quelque part.

— Je crois que tu me mènes tout droit au congélateur, dit Paulo, en roulant des yeux.

Suivant les poinsettias, Lisa s'arrête devant une

porte en bois. Une nouvelle cloche pend à la porte, agitée par le vent glacial.

— C'était ça ta licorne, dit Laurent, en montrant la cloche.

— Elle n'était pas là hier, remarque Paulo.

— Chut, l'interrompt Lisa. J'entends quelque chose. On dirait quelqu'un qui pleure.

Lisa ouvre la porte en bois et entre dans la grange obscure. Mélodie, Laurent et Paulo la suivent.

— Je vais me mettre à pleurer très bientôt si je ne réchauffe pas mon nez, se plaint Paulo.

— Regardez, s'écrie Mélodie, en s'élançant vers une boule de poils tapie dans un coin de la grange. C'est un bébé chien.

— Un chiot, la corrige Laurent.

— C'est un bâtard, les corrige à son tour Paulo.

Le chiot noir et blanc lèche le nez de Mélodie.

— Qu'il est mignon! dit-elle. On ne peut pas le laisser ici sinon il va geler.

— Je vais l'amener à la maison jusqu'à ce qu'on

trouve son maître, propose Laurent. Mon père va être d'accord. Il aime les chiens.

— Prends le bâtard et partons d'ici, suggère Paulo, avant d'être tous transformés en nourriture surgelée.

Laurent prend le chiot et sort de la grange, suivi de Mélodie, Paulo et Lisa. Le courant d'air fait tinter la cloche au-dessus de la porte.

— Je me demande qui a installé la cloche, dit Mélodie.

— Elle était là pour qu'on puisse trouver le chiot, et je sais qui l'a installée, dit Lisa. La licorne!

— Même s'il y avait une licorne, dit Mélodie, elle ne pourrait pas suspendre une cloche aussi haut.

— À moins d'avoir l'aide de M. Caron! dit lentement Lisa.

— M. Caron est bien gentil, dit Laurent, et je ne pense pas qu'il cacherait une licorne.

— Les gens paieraient cher pour voir une licorne, ajoute Mélodie. Et il essaie de trouver des façons d'amasser de l'argent pour les pauvres.

— Il n'arrête pas de faire des bonnes actions,

approuve Lisa. Il n'a peut-être pas ouvert les écuries pour faire de l'argent. Peut-être est-il en mission? Une mission que la licorne lui a confiée!

7

Insensé

— Tu ne vas pas recommencer tes sornettes? demande Paulo. J'espérais que tu avais oublié ces sottises.

Laurent enfouit le chiot à l'intérieur de son blouson et regarde Lisa.

— Une chance que la cloche pendait au-dessus de la porte de la grange!

— *Chance* serait un beau nom pour le chiot de Laurent, suggère Mélodie.

— Une minute, dit Laurent, en levant la main. Je le prends seulement en attendant qu'on lui trouve un meilleur endroit.

Le chiot sort la tête du blouson de Laurent et lui lèche le menton. Mélodie, Paulo et Lisa rient de bon cœur.

— Je pense qu'il t'adopté, dit Lisa.

Les quatre amis remontent dans le traîneau, et Pénélope les ramène à l'écurie.

— *Cartier*, dit Laurent à voix basse. C'est aussi un joli nom pour un chien.

— J'ai toujours aimé Pops, dit Paulo.

— Je vais chercher des noms ce soir, dit Laurent à ses amis.

Pénélope s'arrête devant l'écurie, et les enfants descendent du traîneau.

— Ne me dis pas que tu as un livre sur les noms, dit en riant Paulo.

Paulo sait que Laurent aime lire, mais il ne peut pas s'imaginer qu'on puisse lire un livre de noms.

— Bien sûr que j'en ai un, dit Laurent. Et toi aussi. En fait, presque tout le monde en a un. C'est l'annuaire téléphonique!

— En parlant de recherche, dit Lisa, j'en ai fait une sur les licornes hier soir. J'ai constaté que tout ce que je vous ai dit sur les licornes est vrai. Des fleurs poussent là où elles ont marché, leurs cornes sont magiques et elles viennent en aide aux personnes en détresse.

— On ne peut pas être plus en détresse que toi, plaisante Paulo.

Lisa met les mains sur ses hanches.

— Je ne parle pas seulement de moi. Je parle aussi de ce chiot et de mon chaton Grelot. La magie de la licorne les a sauvés tous les deux.

Paulo ramasse de la neige et la lance dans les airs.

— Seule la magie pourra réussir à te mettre un peu de bon sens dans la tête. Entrons dans l'écurie et je vais te prouver, une fois pour toutes, que les licornes n'existent pas!

8

Le piège

— Aïe, gémit Mélodie. Ma cheville me fait mal!

— Plus fort, lui dit Paulo. Il faut que tu aies l'air convaincante.

Paulo, Laurent et Lisa sont dans une stalle vide. Le chiot est couché sur un lit de foin. Mélodie est étendue sur le sol et fait semblant d'être blessée à la cheville.

— C'est malhonnête, dit Lisa, en croisant les bras sur sa poitrine. Vous ne devriez pas tenter de tromper la licorne.

— Ce n'est pas une licorne, dit Paulo. Mais si ta licorne est réelle, elle viendra aider Mélodie.

— Ça ne marchera pas, dit Mélodie.

— Ça va marcher si tu gémis assez fort, lui dit Paulo. Allez, essaie encore.

43

— AAAAAAAÏE! crie Mélodie.

— C'est ça, dit Paulo. Vous deux, sortez d'ici si vous voulez que mon plan fonctionne, ajoute-t-il à l'intention de Laurent et de Lisa.

— Viens, dit Lisa à Laurent, en roulant des yeux et en tirant son ami par le bras. Tu m'aideras à brosser Pénélope.

Durant les vingt minutes qui suivent, Lisa et Laurent brossent le poney. Paulo reste caché derrière une botte de foin et Mélodie continue de gémir. Elle gémit et gémit encore.

— Je commence à avoir mal à la gorge, finit-elle par se plaindre.

— Chut, siffle Paulo de sa cachette. Continue. J'entends venir.

Quand la porte de la grange s'ouvre en grinçant, Mélodie écarquille les yeux.

— AAAAAAAAÏE! se lamente-t-elle.

Paulo se prépare à bondir. Mélodie continue de se plaindre et ferme les yeux.

— Qu'est-ce qui se passe ici? demande M. Caron. Ça va?

Mélodie rougit violemment et se relève.

— Oh oui, dit-elle rapidement. Je jouais.

M. Caron secoue la tête.

— Je croyais que quelqu'un était blessé. J'allais demander de l'aide.

Quand M. Caron quitte la stalle, Paulo sort de sa cachette. Laurent et Lisa reviennent pour voir ce qui s'est passé.

Lisa éclate de rire dès que la porte se referme.

— Je t'avais bien dit que ça ne fonctionnerait pas, dit-elle à Paulo.

— Et pourquoi pas? demande Paulo. C'était un excellent plan. La licorne n'est pas venue, et j'ai réussi à prouver qu'elle n'existe pas!

— Il manquait quelque chose à ton plan, lui dit Laurent. Souviens-toi, Lisa nous a dit que les licornes aiment secourir les créatures sans défense.

— Et alors? demande Mélodie.

— Mélodie est loin d'être sans défense, dit Lisa à ses amis. Elle pourrait battre Paulo si elle le voulait.

Paulo aimerait bien discuter, mais il a peur que Mélodie veuille prouver que Lisa et Laurent ont raison.

— Ton plan n'a pas marché, dit Laurent. Mais tu étais sur la bonne voie.

Laurent jette un coup d'œil aux alentours pour voir si quelqu'un d'autre peut l'entendre, à part ses amis.

— Approchez-vous, murmure-t-il, et je vais vous faire part de mon plan.

9

Un meilleur plan

— Le plan de Laurent est plus sensé que celui de Paulo, dit Mélodie, quand Laurent leur a confié son idée. Ça ne devrait pas être difficile de fouiller chaque stalle.

— Si nous surprenons le cheval blanc en train de manger de l'avoine, nous aurons la preuve que ce n'est pas une licorne, dit Laurent.

— En même temps, nous prouverons que Lisa a la tête pleine de gruau, ajoute Paulo.

— Et si nous ne le trouvons pas? demande Lisa.

— Ne t'en fais pas, dit Paulo. Il est ici.

— Allons-y, dit Laurent.

Il se dirige au fond de l'écurie, suivi par ses amis. Le chiot tente d'attraper son lacet dénoué, mais Laurent l'ignore.

Laurent ouvre la porte de la première stalle, et les quatre amis jettent un coup d'œil à l'intérieur. Un cheval couleur de boue tourne la tête et les regarde de ses yeux bruns énormes. Un homme est occupé à tresser des rubans verts et rouges dans la crinière du cheval. Il regarde les quatre enfants.

— Que voulez-vous? demande-t-il.

— Désolé, dit Laurent, en souriant, nous cherchons quelqu'un.

Laurent referme la porte et passe à la deuxième stalle. Les amis inspectent ainsi toutes les stalles jusqu'au milieu de l'écurie. Jusqu'à présent, ils n'ont vu que des chevaux bruns, noirs et gris.

Laurent, Lisa, Paulo et Mélodie se dirigent vers la stalle suivante. Avant que Laurent ait la chance d'ouvrir la porte, une voix grave retentit et sa main se fige sur le loquet.

— Je ne veux pas vous voir fureter, leur dit M. Caron. Ça pourrait être dangereux. Qu'est-ce que vous cherchez?

Lisa s'avance vers M. Caron.

— Nous regardions les chevaux, lui dit-elle, d'une voix tremblante. Nous ne voulions déranger personne.

— Écoutez, dit M. Caron, les promenades en traîneau sont lucratives pour les écuries. Les chevaux doivent être à leur mieux. À moins de vouloir nous aider, vous devrez aller jouer ailleurs.

— Nous voulons vous aider, lâche Laurent, avant que M. Caron ne s'éloigne. Nous ferons tout ce que vous nous direz de faire.

— Tout? répète M. Caron, en souriant.

Mélodie, Lisa, Laurent et Paulo font signe que oui. Ils savent que c'est leur unique chance d'inspecter le reste de l'écurie.

— Marché conclu, dit M. Caron. Suivez-moi.

Paulo pousse un grand soupir.

— J'ai l'impression que nous allons regretter ça, dit-il.

10

Rien que du crottin

Les quatre amis suivent M. Caron jusqu'à la remise. Ils restent bouche bée quand M. Caron leur tend des pelles.

— Vous pouvez commencer par curer les stalles, leur dit-il en souriant, avant de sortir pour préparer les traîneaux.

— Ça veut dire quoi « curer »? demande Paulo.

— Je vais te le dire, dit Lisa avec hésitation, mais je ne crois pas que tu veuilles vraiment le savoir.

Dès que Paulo sait de quoi il s'agit, il laisse tomber sa pelle par terre.

— Pas question! dit-il. Je ne pellette pas ÇA!

— T'as intérêt si tu veux prouver que le cheval blanc n'est qu'un cheval et non une licorne, lui conseille Laurent.

— Bien sûr que c'est un cheval, dit Paulo.

Lisa ramasse la pelle de Paulo et la lui tend.

— Alors, prouve-le, dit-elle. De plus, nettoyer les stalles fait partie des soins à donner à un cheval.

— Comme nourrir un chien est essentiel si on veut en avoir un, ajoute Laurent.

— Lisa a raison, dit Mélodie. Il faut prendre soin des animaux, même quand il s'agit de trucs dégoûtants. À moins d'être un vrai bébé.

Paulo s'empare de la pelle.

— Je vais le faire, dit-il, d'un ton brusque, même si ça me déplaît.

Paulo se dirige vers une stalle et se met au travail. Mélodie a le fou rire quand ses deux amis et elle se mettent à l'ouvrage.

— J'aurais aimé avoir un appareil photo, dit-elle. Personne ne va croire qu'on a convaincu Paulo de faire un vrai travail.

Les amis travaillent fort pour nettoyer les stalles. Ils étendent ensuite de la paille fraîche sur le sol.

— En fin de compte, dit Mélodie quand la corvée est terminée, ce n'était pas aussi pénible qu'on le croyait.

— Ça n'aurait pas été aussi pénible si j'avais eu une épingle à linge sur le nez, dit Paulo, en se pinçant le nez.

— Mais nous n'avons pas trouvé le cheval blanc, dit Lisa, en souriant.

— Nous n'avons rien trouvé, dit Paulo. Rien d'autre que du crottin puant. Mais j'ai bien aimé être avec les chevaux.

— M. Caron voudra peut-être qu'on travaille ici, dit Laurent. Il pourrait nous payer en nous laissant monter les chevaux.

— Allons le lui demander, suggère Mélodie.

Les quatre amis rejoignent M. Caron à l'extérieur. Il est en train d'atteler un poney tacheté à un traîneau. Les enfants lui font leur proposition.

— Nous pourrions nettoyer la vieille grange où nous avons trouvé le chiot et le chaton, lui dit Lisa.

— Cette vieille grange? On ne l'utilise plus depuis des années, dit M. Caron.

Tout à coup, le vent se lève, et Lisa est persuadée d'entendre tinter des cloches. Au même moment, il lui vient une idée. Une idée excellente, fantastique, extraordinaire!

11

Un cadeau de Noël particulier

— C'est une super bonne idée, dit Mélodie.

— Ville-Cartier en a vraiment besoin, ajoute Laurent.

Paulo ne dit d'abord rien. Il agite son lacet sous le nez du chaton de Lisa. Les yeux jaunes de Grelot surveillent la corde. Paulo, Laurent et Mélodie sont assis par terre dans le salon chez Lisa. Elle vient tout juste de leur dire son idée.

— Transformer la grange de M. Caron en refuge d'animaux ne marchera jamais, finit par dire Paulo.

— Pourquoi pas? demande Lisa.

— Parce qu'il faut de l'argent pour faire un refuge d'animaux, dit Paulo. M. Caron n'en a pas beaucoup. Nous non plus.

— C'est vrai, dit Mélodie. M. Caron a dit que les promenades en traîneaux sont la seule activité qui

permette de garder les écuries ouvertes.

— Il n'arrivera pas en plus à prendre soin des animaux abandonnés, dit tristement Laurent.

— Et si la grange n'appartenait pas à M. Caron? dit Lisa. Il n'aurait pas à dépenser de l'argent pour le refuge.

— Et s'il se mettait à tomber des pères Noël en chocolat? plaisante Paulo.

— Ton idée est bonne, dit Mélodie à Lisa. Mais c'est M. Caron le propriétaire, et il n'y a rien qu'on puisse y faire.

— Pour l'instant, dit Lisa, avec un clin d'œil. Et s'il la donnait à Ville-Cartier comme cadeau de Noël?

— Impossible d'emballer une grange, dit Paulo. Il n'y a pas assez de ruban pour faire le chou.

— Très drôle, dit Lisa. M. Caron n'aurait pas besoin de l'emballer.

— Ça n'a aucun sens, dit Mélodie. Pourquoi M. Caron offrirait-il la grange à Ville-Cartier?

— Parce qu'il n'aurait plus à s'en préoccuper… interrompt Laurent.

— Et la ville pourrait transformer la grange en

refuge d'animaux, termine Lisa.

— Penses-tu qu'il le ferait? demande Mélodie.

— Il n'y a qu'un moyen de le savoir, répond Lisa, en souriant.

12
La magie de Noël

La veille de Noël, quand Lisa, Mélodie, Laurent et Paulo arrivent aux Écuries de Ville-Cartier, les chevaux sont attelés aux traîneaux. Les enfants sont excités, car le maire doit faire une annonce.

Un petit groupe de gens est rassemblé devant l'écurie. Le maire s'éclaircit la voix et sourit.

— J'ai une annonce spéciale à faire, dit-il enfin. M. Caron a fait un généreux don à notre ville. Cette grange deviendra le *Refuge d'animaux de Ville-Cartier*.

Tout le monde regarde le propriétaire de l'écurie. M. Caron rougit quand les caméras de télévision se braquent sur lui.

— Grâce au don de M. Caron, continue le maire, Ville-Cartier aura finalement un refuge d'animaux dont l'objectif sera de garder les animaux en bonne santé et heureux jusqu'à ce qu'on leur trouve un foyer.

Tout le monde applaudit chaudement.

— Qu'est-ce qui vous a amené à faire don de la grange à la ville? demande un journaliste.

— L'idée n'est pas de moi, répond M. Caron, en se tournant vers Lisa, Mélodie, Laurent et Paulo. C'est leur idée.

Les caméras se mettent à cliqueter, et un reporter approche son micro de Laurent.

— Comment avez-vous eu cette idée? demande-t-il.

Laurent lève Pops à bout de bras.

— Nous avons trouvé ce chiot dans la grange, dit-il, en prenant soin de parler lentement et clairement.

— Et moi, j'ai trouvé un chaton, se vante Paulo.

— Ils étaient gelés et affamés tous les deux, explique Mélodie, en souriant à la caméra.

— On ne savait pas où les emmener, dit Laurent. Nos parents nous ont permis de les garder.

— M. Caron ne savait pas quoi faire de la grange. Alors, Lisa a eu l'idée d'en faire un refuge

d'animaux, dit Mélodie.

La caméra se braque sur Lisa, et le reporter approche son micro.

— Ton idée a apporté la magie de Noël à tous les animaux de Ville-Cartier, dit le reporter, pendant que la foule applaudit chaleureusement.

— Et c'était vraiment magique, dit timidement Lisa. Magique!

13

La magie de la licorne

— Tiens, la voilà ta licorne, dit Mélodie en riant, tandis que M. Caron sort de l'écurie avec un cheval blanc attelé à un traîneau.

La crinière du cheval est décorée de rubans rouges et verts, et l'animal a une grande canne de bonbon rouge et blanc entre les oreilles. Des grelots se mettent à tinter quand le cheval s'ébroue pour chasser la neige qui tombe. Les caméras ont été rangées et presque tout le monde est parti.

— Ce n'est pas ma licorne, dit Lisa, en se poussant pour laisser passer le traîneau.

— Je parie que c'est ce que tu as vu, dit Laurent. Après tout, nous n'avons jamais réussi à prouver qu'il y avait une licorne.

— Nous n'en avons pas vu parce qu'il n'y en avait pas, dit Paulo, sans avoir l'air de rien.

— Nous n'en verrons plus maintenant, dit Lisa, avec nostalgie.

— Que veux-tu dire? demande Mélodie. As-tu finalement cessé de croire aux licornes?

— Non, répond Lisa. Je veux tout simplement dire que le travail de la licorne est terminé. Elle est venue pour amener M. Caron à s'occuper des animaux abandonnés. À présent, elle va aller ailleurs. Mais elle a laissé un peu de sa magie avec nous.

— J'espère que je n'ai pas marché dans sa magie, dit Paulo, en inspectant ses semelles.

— Je parle de la magie à l'intérieur de nous, dit Lisa, en riant. Nous avons créé le *Refuge des animaux de Ville-Cartier*, et nous pouvons continuer de faire vivre la magie en faisant du bénévolat au refuge.

— Quelle bonne idée, disent ensemble Mélodie et Laurent.

— Et toi? demande Lisa à Paulo.

— Est-ce qu'il faudra s'occuper du crottin puant?

— Juste un peu peut-être, dit Lisa en riant.

— Oh, d'accord, dit Paulo. Mais il me faudra beaucoup de magie pour m'aider.

Au même moment, les quatre amis sentent passer une brise douce, et Paulo entend le tintement de grelots suivi d'un hennissement. Cela provient du nouveau refuge d'animaux.

Paulo regarde à travers la neige tourbillonnante et, l'espace d'une seconde, il est certain de voir M. Caron à côté d'une licorne. Il cligne des yeux et regarde de nouveau. Il ne voit rien d'autre que la neige qui tombe.

Debbie Dadey et Marcia Thornton Jones ont du plaisir à écrire des histoires ensemble. Lorsqu'elles travaillaient toutes les deux à l'école élémentaire de Lexington, au Kentucky, Debbie était bibliothécaire et Marcia, enseignante. C'est en dînant à la cafétéria qu'elles ont eu l'idée des élèves de l'école Cartier.

Debbie et sa famille vivent maintenant à Aurora, en Illinois. Marcia et son mari vivent encore au Kentucky, où elle continue d'enseigner. Comment ces auteures arrivent-elles à écrire ensemble? Elles se parlent au téléphone et se servent d'ordinateurs et de télécopieurs!